为实现民族伟大复兴 推进祖国和平统一而共同奋斗

——在《告台湾同胞书》发表40周年纪念会上的讲话

（2019年1月2日）

习　近　平

人　民　出　版　社

为实现民族伟大复兴 推进祖国和平统一而共同奋斗

——在《告台湾同胞书》发表
40 周年纪念会上的讲话

（2019 年 1 月 2 日）

习　近　平

同志们，同胞们，朋友们：

今天，我们在这里隆重集会，纪念全国人民代表大会常务委员会《告台湾同胞书》发表 40 周年。值此新年之际，我代表祖国大陆人民，向广大台湾同胞致以诚挚的问候和衷心的祝福！

海峡两岸分隔已届 70 年。台湾问题的产生和演变同近代以来中华民族命运休戚相关。1840 年鸦片战争之后，西方列强入侵，中国陷入内忧外患、山河破碎的悲惨境地，台湾更是被外族侵占长达半个世纪。为战胜外来侵略、争取民族解放、实现国家统一，中华儿女前仆后继，进行了可歌可泣的斗争。台湾同胞在这场斗争中作出了重要贡献。1945 年，中国人民同世界各国人民一道，取得了中国人民抗日战争暨世界反法西斯战争的伟大胜利，台湾随之光复，重回祖国怀抱。其后不久，由于中国内战延续和外部势力干涉，海峡两岸陷入长期政治对立的特殊状态。

1949 年以来，中国共产党、中国政府、中国人民始终把解决台湾问题、实现祖国完全统一作为矢志不渝的历史任务。我们团结台湾同胞，推动台海形势从紧张对峙走向缓和改善、进而走上和平发展道路，两岸关系不断取得突破性进展。

——70 年来，我们顺应两岸同胞共同愿望，推动打破两岸隔绝状态，实现全面直接双向“三通”，开启两岸同胞大交流大交往大合作局面，两岸交流合作日益广泛,相互往来日益密切,彼此心灵日益契合。台湾同胞为祖国大陆改革开放作出重大贡献,也分享了大陆发展机遇。

——70年来,我们秉持求同存异精神,推动两岸双方在一个中国原则基础上达成“海峡两岸同属一个中国,共同努力谋求国家统一”的“九二共识”,开启两岸协商谈判,推进两岸政党党际交流,开辟两岸关系和平发展道路,实现两岸领导人历史性会晤,使两岸政治互动达到新高度。

——70年来,我们把握两岸关系发展时代变化,提出和平解决台湾问题的政策主张和“一国两制”科学构想,确立了“和平统一、一国两制”基本方针,进而形成了坚持“一国两制”和推进祖国统一基本方略,回答了新时代推动两岸关系和平发展、团结台湾同胞共同致力于实现民族伟大复兴和祖国和平统一的时代命题。

——70年来,我们高举和平、发展、合作、共赢的旗帜,在和平共处五项原则基础上发展同各国的友好合作,巩固国际社会坚持一个中国原则的格局，越来越多国家和人民理解和支持中国统一事业。

——70年来，我们始终着眼于中华民族整体利益和长远利益，坚定维护国家主权和领土完整，团结全体中华儿女，坚决挫败各种制造“两个中国”、“一中一台”、“台湾独立”的图谋，取得一系列反“台独”、反分裂斗争的重大胜利。

两岸关系发展历程证明：台湾是中国一部分、两岸同属一个中国的历史和法理事实，是任何人任何势力都无法改变的！两岸同胞都是中国人，血浓于水、守望相助的天然情感和民族认同，是任何人任何势力都无法改变的！台海形势走向和平稳定、两岸关系向前发展的时代潮流，是任何人任何势力都无法阻挡的！国家强大、民族复兴、两岸统一的历史大势，更是任何人任何势力都无法阻挡的！

同志们、同胞们、朋友们！

回顾历史，是为了启迪今天、昭示明天。祖国必须统一，也必然统一。这是70载两岸关系发展历程的历史定论,也是新时代中华民族伟大复兴的必然要求。两岸中国人、海内外中华儿女理应共担民族大义、顺应历史大势,共同推动两岸关系和平发展、推进祖国和平统一进程。

第一,携手推动民族复兴,实现和平统一目标。民族复兴、国家统一是大势所趋、大义所在、民心所向。一水之隔、咫尺天涯,两岸迄今尚未完全统一是历史遗留给中华民族的创伤。两岸中国人应该共同努力谋求国家统一,抚平历史创伤。广大台湾同胞都是中华民族一分子,要做堂堂正正的中国人,认真思考台湾在民族复兴中的地位和作用,把促进国家完全统一、共谋民族伟大复兴作为无上光荣的事业。

台湾前途在于国家统一,台湾同胞福祉系于民族复兴。两岸关系和平发展是维护两岸和平、促进两岸共同发展、造福两岸同胞的正确道路。两岸关系和平发展要两岸同胞共同推动,靠两岸同胞共同维护,由两岸同胞共同分享。中国梦是两岸同胞共同的梦,民族复兴、国家强盛,两岸中国人才能过上富足美好的生活。在中华民族走向伟大复兴的进程中，台湾同胞定然不会缺席。两岸同胞要携手同心，共圆中国梦，共担民族复兴的责任，共享民族复兴的荣耀。台湾问题因民族弱乱而产生，必将随着民族复兴而终结！

第二，探索“两制”台湾方案，丰富和平统一实践。“和平统一、一国两制”是实现国家统一的最佳方式，体现了海纳百川、有容乃大的中华智慧，既充分考虑台湾现实情况，又有利于统一后台湾长治久安。

制度不同，不是统一的障碍，更不是分裂的借口。“一国两制”的提出，本来就是为了照顾台湾现实情况，维护台湾同胞利益福祉。“一国两制”在台湾的具体实现形式会充分考虑台湾现实情况，会充分吸收两岸各界意见和建议，会充分照顾到台湾同胞利益和感情。在确保国家主权、安全、发展利益的前提下，和平统一后，台湾同胞的社会制度和生活方式等将得到充分尊重，台湾同胞的私人财产、宗教信仰、合法权益将得到充分保障。

两岸同胞是一家人，两岸的事是两岸同胞的家里事，当然也应该由家里人商量着办。和平统一，是平等协商、共议统一。两岸长期存在的政治分歧问题是影响两岸关系行稳致远的总根子，总不能一代一代传下去。两岸双方应该本着对民族、对后世负责的态度，凝聚智慧，发挥创意，聚同化异，争取早日解决政治对立，实现台海持久和平，达成国家统一愿景，让我们的子孙后代在祥和、安宁、繁荣、尊严的共同家园中生活成长。

在一个中国原则基础上，台湾任何政党、团体同我们的交往都不存在障碍。以对话取代对抗、以合作取代争斗、以双赢取代零和，两岸关系才能行稳致远。我们愿意同台湾各党派、团体和人士就两岸政治问题和推进祖国和平统一进程的有关问题开展对话沟通，广泛交换意见，寻求社会共识，推进政治谈判。

我们郑重倡议，在坚持“九二共识”、反对“台独”的共同政治基础上，两岸各政党、各界别推举代表性人士，就两岸关系和民族未来开展广泛深入的民主协商，就推动两岸关系和平发展达成制度性安排。

第三，坚持一个中国原则，维护和平统一前景。尽管海峡两岸尚未完全统一，但中国主权和领土从未分割，大陆和台湾同属一个中国的事实从未改变。一个中国原则是两岸关系的政治基础。坚持一个中国原则，两岸关系就能改善和发展，台湾同胞就能受益。背离一个中国原则，就会导致两岸关系紧张动荡，损害台湾同胞切身利益。

统一是历史大势，是正道。“台独”是历史逆流，是绝路。广大台湾同胞具有光荣的爱国主义传统，是我们的骨肉天亲。我们坚持寄希望于台湾人民的方针，一如既往尊重台湾同胞、关爱台湾同胞、团结台湾同胞、依靠台湾同胞，全心全意为台湾同胞办实事、做好事、解难事。广大台湾同胞不分党派、不分宗教、不分阶层、不分军民、不分地域，都要认清“台独”只会给台湾带来深重祸害，坚决反对“台独”分裂，共同追求和平统一的光明前景。我们愿意为和平统一创造广阔空间，但绝不为各种形式的“台独”分裂活动留下任何空间。

中国人不打中国人。我们愿意以最大诚意、尽最大努力争取和平统一的前景，因为以和平方式实现统一，对两岸同胞和全民族最有利。我们不承诺放弃使用武力，保留采取一切必要措施的选项，针对的是外部势力干涉和极少数“台独”分裂分子及其分裂活动，绝非针对台湾同胞。两岸同胞要共谋和平、共护和平、共享和平。

第四，深化两岸融合发展，夯实和平统一基础。两岸同胞血脉相连。亲望亲好，中国人要帮中国人。我们对台湾同胞一视同仁，将继续率先同台湾同胞分享大陆发展机遇，为台湾同胞台湾企业提供同等待遇，让大家有更多获得感。和平统一之后，台湾将永保太平，民众将安居乐业。有强大祖国做依靠，台湾同胞的民生福祉会更好，发展空间会更大，在国际上腰杆会更硬、底气会更足，更加安全、更有尊严。

我们要积极推进两岸经济合作制度化，打造两岸共同市场，为发展增动力，为合作添活力，壮大中华民族经济。两岸要应通尽通，提升经贸合作畅通、基础设施联通、能源资源互通、行业标准共通，可以率先实现金门、马祖同福建沿海地区通水、通电、通气、通桥。要推动两岸文化教育、医疗卫生合作，社会保障和公共资源共享，支持两岸邻近或条件相当地区基本公共服务均等化、普惠化、便捷化。

第五，实现同胞心灵契合，增进和平统一认同。国家之魂，文以化之，文以铸之。两岸同胞同根同源、同文同种，中华文化是两岸同胞心灵的根脉和归属。人之相交，贵在知心。不管遭遇多少干扰阻碍，两岸同胞交流合作不能停、不能断、不能少。

两岸同胞要共同传承中华优秀传统文化，推动其实现创造性转化、创新性发展。两岸同胞要交流互鉴、对话包容，推己及人、将心比心，加深相互理解，增进互信认同。要秉持同胞情、同理心，以正确的历史观、民族观、国家观化育后人，弘扬伟大民族精神。亲人之间，没有解不开的心结。

久久为功，必定能达到两岸同胞心灵契合。

支持和追求国家统一是民族大义，应该得到全民族肯定。伟大祖国永远是所有爱国统一力量的坚强后盾！我们真诚希望所有台湾同胞，像珍视自己的眼睛一样珍视和平，像追求人生的幸福一样追求统一，积极参与到推进祖国和平统一的正义事业中来。

国家的希望、民族的未来在青年。两岸青年要勇担重任、团结友爱、携手打拼。我们热忱欢迎台湾青年来祖国大陆追梦、筑梦、圆梦。两岸中国人要精诚团结，携手同心，为同胞谋福祉，为民族创未来！

同志们、同胞们、朋友们！

长期以来，香港同胞、澳门同胞和海外侨胞关心支持祖国统一大业，作出了积极贡献。希望香港同胞、澳门同胞和海外侨胞一如既往，为推动两岸关系和平发展、实现祖国和平统一再立新功。

同志们、同胞们、朋友们！

世界上只有一个中国，坚持一个中国原则是

公认的国际关系准则，是国际社会普遍共识。国际社会广泛理解和支持中国人民反对“台独”分裂活动、争取完成国家统一的正义事业。中国政府对此表示赞赏和感谢。中国人的事要由中国人来决定。台湾问题是中国的内政，事关中国核心利益和中国人民民族感情，不容任何外来干涉。

中国的统一，不会损害任何国家的正当利益包括其在台湾的经济利益，只会给各国带来更多发展机遇，只会给亚太地区和世界繁荣稳定注入更多正能量，只会为构建人类命运共同体、为世界和平发展和人类进步事业作出更大贡献。

同志们、同胞们、朋友们！

历史不能选择，现在可以把握，未来可以开创！新时代是中华民族大发展大作为的时代，也是两岸同胞大发展大作为的时代。前进道路不可能一帆风顺，但只要我们和衷共济、共同奋斗，就一定能够共创中华民族伟大复兴美好未来，就一定能够完成祖国统一大业！

图书在版编目(CIP)数据

为实现民族伟大复兴　推进祖国和平统一而共同奋斗：在《告台湾同胞书》发表40周年纪念会上的讲话/习近平 著. —北京：人民出版社，2019.1

ISBN 978－7－01－020332－4

Ⅰ.①为…　Ⅱ.①习…　Ⅲ.①习近平-讲话②台湾问题-方针政策-中国　Ⅳ.①D2-0②D618

中国版本图书馆CIP数据核字(2019)第004227号

(RMC－ZJDXI－073－20190102)

为实现民族伟大复兴　推进祖国和平统一而共同奋斗

WEI SHIXIAN MINZU WEIDA FUXING TUIJIN ZUGUO HEPING TONGYI ER GONGTONG FENDOU

——在《告台湾同胞书》发表40周年纪念会上的讲话

(2019年1月2日)

习　近　平

人民出版社 出版发行

(100706　北京市东城区隆福寺街99号)

北京新华印刷有限公司印刷　新华书店经销

2019年1月第1版　2019年1月北京第1次印刷

开本:880毫米×1230毫米 1/32　印张:0.5

字数:7千字

ISBN 978－7－01－020332－4　定价:2.00元

邮购地址 100706　北京市东城区隆福寺街99号

人民东方图书销售中心　电话 (010)65250042　65289539